Storie classiche della buonanotte

Testo italiano di Augusto Macchetto
Coordinamento editoriale di Cristina Romanelli
Progetto e coordinamento grafico di Emanuela Fecchio

Editing e impaginazione di Compos 90

Pubblicato da Giunti Editore S.p.A.
Via Bolognese, 165 - 50139 Firenze - Italia
Piazza Virgilio, 4 - 20123 Milano - Italia

Prima edizione: settembre 2015
Giunti Industrie Grafiche S.p.A. - Iolo (Po)
www.giunti.it

Disney

IL RE LEONE

GIUNTI

Gli animali della savana oggi sono pieni di gioia, perché è nato il loro principino. È Simba, figlio del grande re leone Mufasa e di Sarabi, la sua sposa! Rafiki, il saggio babbuino, alza al cielo il piccolo sulla Rupe dei Re. E lo mostra a tutti, sotto l'abbagliante sole d'Africa.

Ma c'è chi non è felice.
Scar, fratello di Mufasa, ha sempre sognato di diventare re. E ora sa che un giorno, invece, sarà Simba il sovrano della savana.
"Ah, quel micio spelacchiato!" dice, parlando del cucciolo.
L'uccello Zazu, il maggiordomo del re, lo sgrida: come può mancare di rispetto al principino?

Pochi mesi dopo, Simba è diventato un simpatico leoncino. E una mattina il papà gli mostra il suo regno, dall'alto della Rupe. Quanta pace, quanta bellezza! Quando verrà il tempo, dice Mufasa, Simba dovrà governare con saggezza la savana.

Quel giorno il piccolo incontra Scar...
Anche lui conosce bene la savana
e gli racconta di un posto misterioso:
un cimitero di elefanti. “Ma solo i leoni
più coraggiosi ci possono andare!”
gli spiega. Oh, se è per questo, Simba
si sente il leone più coraggioso
del mondo!

E così, il cucciolo va a chiamare una sua amica, la leoncina Nala, e insieme corrono nella grande pianura. Largo! Pista! È divertente fare a gara con le zebre! Zazu, che vuole tenerli d'occhio, vola in alto, lassù. Ma presto li perde di vista...

Quando Zazu li ritrova,
Simba e Nala sono nei guai. Hanno
raggiunto il cimitero degli elefanti,
un posto davvero spaventoso,
pieno di enormi ossa... e di iene!
Le belve si avvicinano ai cuccioli
mostrando i denti, affamate,
con lo sguardo goloso.
Chi potrà fermarle?

Mufasa, naturalmente! Il grande leone arriva
appena in tempo. “Indietro!” ruggisce.
E con poche potenti zampate mette
fuori combattimento le iene. Come scappano
spaventate, con la coda tra le gambe!
Tutto è finito bene, ma Simba
è stato imprudente...

È scesa la notte e il cucciolo è ancora scosso per quello che è successo. Mufasa allora gli mostra le stelle: “I grandi re del passato vegliano su di noi dall’alto,” dice. “Quando ti sentirai solo, ricorda che saranno sempre lì per guidarti. E con loro ci sarò anch’io!”

Il giorno dopo, Simba incontra di nuovo Scar. Non sa che è stato proprio quel leone malvagio a mandare le iene nel cimitero degli elefanti, per fargli del male. E ora ha in mente qualcos'altro: "Ho una sorpresa per te!" dice al cucciolo. "Resta qui!"

Ma la sorpresa è una trappola! Subito si sente un frastuono tremendo e un enorme branco di gnu arriva correndo al galoppo. Simba si rifugia più in alto che può, su un ramo, mentre Scar corre da Mufasa. E, fingendosi preoccupato, gli grida che il suo piccolo è in pericolo.

Mufasa arriva di corsa e ancora una volta riesce a salvare Simba: lo porta in alto, su una roccia, al sicuro. Ma ora è il re a essere in pericolo: resta aggrappato a un masso a strapiombo nel vuoto. E Scar, leone dal cuore duro, invece di aiutarlo lo fa cadere. È la fine, per Mufasa.

“Simba, che cosa hai fatto?” chiede Scar al cucciolo. Per farlo sentire in colpa, gli dice che il re è morto per colpa sua! “Devi scappare,” insiste. “E non tornare mai più!” Simba gli crede e corre via disperato. Proprio quello che Scar sperava: infatti, ordina subito alle iene di inseguirlo.

Quella stessa notte,
Scar annuncia al branco che
ora sarà lui, il re. Quel bugiardo
racconta che anche Simba
è morto. E le leonesse piangono,
piene di tristezza. Anche
la piccola Nala, che ha perso
il suo grande amico. Oh, se solo
sapessero che Simba è sfuggito
alle iene e che è vivo
e sta bene...

Il cucciolo, fuggendo, è arrivato lontano.
Ed è stato molto fortunato, perché ha fatto amicizia con Timon, la mangusta, e con il grosso facocero Pumbaa. I due hanno un cuore grande e si sono accorti che quel piccolo è tanto triste e solo.
Perciò lo trattano con tenerezza e amore.

Simba adora Timon e Pumbaa, perché con loro si diverte un sacco! Il loro motto è *hakuna matata*, che vuol dire... non ci pensare!

Certo, al cucciolo non piace mangiare insetti,
come gli consiglia Timon. Ma, a parte questo,
la sua vita adesso è felice e spensierata.

Come passa in fretta il tempo! Ormai Simba
è diventato un leone adulto e una sera, guardando
il cielo, ricorda le belle, dolci parole di suo
padre. Ripensa agli antichi re che da lassù,
tra le stelle, lo guardano e lo proteggono.
Ripensa al suo coraggioso papà...

Il giorno dopo, Timon e Pumbaa
prendono un bello spavento:
una leonessa esce ruggendo
dall'erba, veloce come il vento,
si lancia su di loro e...

... saluta Simba. È Nala!
È cresciuta anche lei ed è contentissima
di ritrovare il suo compagno di giochi.

Ben presto un altro amico del passato torna a trovare Simba: è Rafiki, il saggio babbuino. Viene a chiedergli di tornare nelle terre del branco, per diventare sovrano della savana al posto di Scar, l'impostore. Anche lassù, tra le stelle, Mufasa sembra fargli coraggio: il vero re leone deve riprendere il suo posto.

Quando Simba torna nel suo territorio, Scar non crede ai propri occhi: no, non può essere vero! Il cucciolo è diventato uno splendido leone, forte e fiero. Ma Scar spera ancora di liberarsi di lui, con l'aiuto delle iene, le sue perfide alleate.

Le iene circondano Simba, che indietreggia, scivola... e si ritrova appeso a un masso, come tanto tempo prima era successo al suo papà! Scar sorride, si avvicina... ma Simba ora ha capito quanto è malvagio quel leone senza pietà. E questo gli dà la forza di risalire sulla roccia e affrontarlo!

Mentre il resto del branco scaccia le iene, Simba lotta contro Scar e lo batte una volta per tutte. Il suo regno è finalmente finito! Nel cielo si radunano nuvole scure, cariche di pioggia. E si sente un ruggito...

È Simba, il nuovo re leone, che grida il suo trionfo!
Poi, tutto tace. Sulla savana cade leggera la pioggia,
che farà crescere tanta erba, sotto il sole d'Africa.
E la speranza rinascerà nei cuori di tutti.
Ora comincia il regno dei sorrisi e della pace.

E presto il destino tanta gioia regala:
è nato il bel cucciolo di Simba e Nala!
All'alba gli animali lo salutano in coro:
benvenuto, leoncino! Benvenuto, tesoro!